A Shorter Course in English for Business Meetings

Presentation

5分間 会議英語＜プレゼンテーション力の育成＞

Kazushige Tsuji
Kenji Hosono
G. Clint Denison
Setsu Tsuji

NAN'UN-DO

A Shorter Course in English for Business Meetings
< Presentation>

はじめに

世界はWith/Postコロナの時代に突入し、社会・経済活動は新しい局面を迎えています。まさに、将来の予測が困難な状況、すなわちVUCA*時代において、われわれを取り巻く環境は大きく変化しています。そのような状況の中、世界のボーダレス化も着実に進んでおり、企業やNGO・NPOなどの団体が開催する対外会議・社内会議における「会議英語力」はますます必要となっています。

本テキストは、会議で不可欠な「英語プレゼンテーション力」を身につけることを目的としています。様々なビジネスを念頭にプレゼンテーションで求められる英文（内容、語彙）を効果的に習得できるよう通訳訓練を取り入れるなどの工夫がされています。また、各種業界の会議で使用される「専門用語」を含む文例とその解説を通して、ビジネスに関する知識を深めることができます。

国際理解と国際協力を促進する大切さが問われる現在、『会議英語＜プレゼンテーション力の育成＞』で身につけたプレゼンテーション力を、みなさんが国際的な活動の場で活かされることを願ってやみません。

最後に、このような貴重な機会をあたえてくださった南雲堂編集部の加藤敦様に厚くお礼申し上げます。

著者一同

---

* Volatility（変動性）、Uncertainty（不確実性）、Complexity（複雑性）、Ambiguity（曖昧性）の頭文字を並べたもの。

本テキストの目的、特長と学習方法

目的

世界のボーダレス化が進む中、企業やNGO・NPOなどの団体が開催する対外会議・社内会議における英語プレゼンテーションを効果的に行うために必要な英語力と知識を身につけます。

特長

1. 本テキストは、会議での英語プレゼンテーション力を効果的に身につけるために以下の工夫をしています。

(1) 20 Unitsで構成され、実際のプレゼンテーションで使われる内容・語彙をカバー
(2) 15単語以内で構成される実用的な10英文を各Unitで紹介
(3) ビジネス会議で使用される「専門用語」を各Unitで５つ解説
(4) 英単語の「穴埋め問題」と「整序問題」を各Unitに準備
(5) プロの通訳者養成で使われている訓練方法（リテンション、逐次通訳）を採用

2. 本テキストは、通訳の授業・研修にも有用です。

学習方法（声に出す訓練）：以下の訓練を通して、表現力・瞬発力を養います。

1. リテンション（英語→英語）

学習者は英文を聞いて、その英文を限られた時間内に復唱します。要領はリピーティングとほぼ同じです。リテンションの場合、聞いた英文を復唱する際に「言い切る」ことを守り、そのため必要に応じて原文に含まれない英語の単語や表現を使っても結構です。原文のメッセージを与えられた時間内に自分の言葉で伝たえることを優先にこの訓練に臨んでください。なお、ここではRetention（保持）とReproduction（復唱）を併せて「リテンション」と呼んでいます。

2. 遂次通訳（日本語→英語）

聞こえてくる日本文を限られた時間内に英文にして発話します。リテンションで学習した英文の定着を目的としますが、思い出せない語彙がある場合は、他の英語の単語・表現を使っても結構です。原文(日本語)のメッセージを与えられた時間内に自分の言葉（英語）で伝えることを優先して、この訓練に臨んでください。

日本文：対外会議と社内会議を対象に、原則として「発言者」を指す言葉を使い分けています。
・ 対外会議の場合：弊社、私ども、われわれ（相手側を含める場合）
・ 社内会議の場合：当社、わが社、われわれ

目次

Unit 1

挨拶

ビジネス会議が開かれています。使用言語は英語です。このユニットは「挨拶」です。

1. 日本語を参考にして、下記の単語リストより最も適切な単語を選びその記号を（　）に記入しなさい。

(1) 本日ここにいられますことを嬉しく思っております。
We are (①　　) to (②　　) here today.

(2) やっと皆様にお会いでき光栄です。
It is our (③　　) to finally be able to (④　　) with you.

(3) ご親切にも本社にお招きいただきありがとうございます。
It is very (⑤　　) of you to invite us to your (⑥　　).

(4) 御社の工場で生産会議 * を開催できる機会をいただき感謝いたします。
We (⑦　　) the opportunity to have the (⑧　　) meeting at your plant.

(5) 本日の品質会議 * を開催していただき深くお礼申し上げます。
We would like to (⑨　　) deep (⑩　　) to you for holding today's quality meeting.

a. appreciate	b. appreciation	c. delighted	d. express	e. headquarters
f. kind	g. pleasure	h. production	i. be	j. meet

Notes

部署（名称と役割）：ここでは会議の種類から関連する部署名を学ぶ。

・生産部門 (production/manufacturing division)：設計通りの製品をつくる部門である。
・品質部門 (quality division)：製品の質を確保するため、品質規格に準じた検査を通し、不良品を出さないようにする部門である。
＊企業により異なる英語名称を使用することがあるため注意すること。

2. Exercise

Disc 1　2-3

2-1 上記の５つの英文が順番に聞こえてきます。各英文を聞いた後、すぐにリテンションしなさい。

2-2 上記の５つの日本文が順番に聞こえてきます。各日本文を聞いた後、すぐに英文にしなさい。

3. 日本語を参考にして英単語を並び替え、英文を完成させなさい。

(1) 皆様を本社にお迎えできて光栄です。
[able / to be / to / to welcome / you / our head office]
We are pleased ______________________________.

(2) お忙しい中、この営業会議*にご出席していただきありがとうございます。
[could attend / busy / despite / this meeting / schedules / you / your]
We appreciate that ______________________________.

(3) 急な連絡にも拘わらず、皆様にご出席いただき嬉しく思っております。
[could make it / notice / on / short / such / you]
We are happy that ______________________________.

(4) この開発会議*にご出席いただき感謝いたします。
[this engineering meeting / for / in / part / taking / our thanks]
Please accept ______________________________.

(5) 購買会議*にご出席していただき深く感謝いたします。
[extend / for / in / participating / to you / this purchasing meeting / our deep appreciation]
We wish to ______________________________.

Notes

部署（名称と役割）：ここでは会議の種類から関連する部署名を学ぶ。

- 営業部門 (sales division)
  顧客とやり取りを行う部署であり、商品の販売を担う部門である。
- 開発部門 (development/engineering division)
  製品構想を具現化し、設計・図面化する部門である。engineering division を技術部門とする企業もある。
- 購買部門 (purchasing/procurement division)
  必要な資材・部品・コンポーネントを外部から調達する部門である。
  ＊企業により異なる英語名称を使用することがあるため注意すること。

4. Exercise

4-5

4-1 上記の５つの英文が順番に聞こえてきます。各英文を聞いた後、すぐにリテンションしなさい。

4-2 上記の５つの日本文が順番に聞こえてきます。各日本文を聞いた後、すぐに英文にしなさい。

Unit 2

自己紹介

ビジネス会議が開かれています。使用言語は英語です。このユニットは「自己紹介」です。

1. 日本語を参考にして、下記の単語リストより最も適切な単語を選びその記号を（ ）に記入しなさい。

(1) 私の名前は木村真理子です。ジンクインターナショナルで働いています。
My name is Mariko Kimura. I (①) (②) Zink International.

(2) 小林武士です。管理部門* 担当の常務取締役です。
I am Takeshi Kobayashi, the managing (③) in (④) of the administration division.

(3) 経営企画部* の高木あきらです。
My name is Akira Takagi of the (⑤) (⑥) department.

(4) 宮本真紀と申します。国際購買課に所属しております。
My name is Maki Miyamoto. I'm (⑦) the international (⑧) section.

(5) 新しくこの国内プロジェクトのリーダーに任命されました。
I have been newly (⑨) as the leader of this (⑩) project.

a. assigned	b. charge	c. corporate	d. director	e. for
f. from	g. domestic	h. planning	i. purchasing	j. work

Notes

・管理部門 (administration division)：主に経理・人事・総務・法務などを担当する部で構成される。売上に直結する部門や会社全体をサポートする部門である。
・経営企画部 (corporate planning department)：中長期にわたる経営計画の策定や管理、新規事業の創出などの役割を担う部署である。
＊通常、部門は部で、部は課で構成されている。

2. Exercise

6-7

2-1 上記の５つの英文が順番に聞こえてきます。各英文を聞いた後、すぐにリテンションしなさい。

2-2 上記の５つの日本文が順番に聞こえてきます。各日本文を聞いた後、すぐに英文にしなさい。

3. 日本語を参考にして英単語を並び替え、英文を完成させなさい。

(1) 北和也と申します。法務部の係長* を務めております。

[an assistant manager / am / department / I / legal / of / the]

My name is Kazuya Kita. ______________________________.

(2) 総務部長* を務めております。

[am / as / the general affairs / of / the general manager / serving / department]

I ______________________________.

(3) 生産部門の取締役* の職務に当たることになりました。

[the production division / in / director / of / the position / have just assumed]

I ______________________________.

(4) ボンド社のジャック・フェントンと申します。知的財産部に所属しております。

[belong / department / I / the intellectual property / to]

My name is Jack Fenton of Bond. ______________________________.

(5) ボンド社で物流を統括する立場の者として出席しております。

[as / at Bond / capacity / the head / logistics / of]

I am here in my ______________________________.

Notes

役職：ここでは企業での主な役職を学ぶ。

最高経営責任者 (chief executive officer: CEO)、最高執行責任者 (chief operating officer: COO)、社長 (president)、副社長 (vice president)、専務 (senior managing director)、常務 (managing director)、部長 (general manager)、課長 (manager)、係長 (assistant manager)
＊企業により異なる英語名称を使用することがあるため注意すること。

4. Exercise

8-9

4-1 上記の５つの英文が順番に聞こえてきます。各英文を聞いた後、すぐにリテンションしなさい。

4-2 上記の５つの日本文が順番に聞こえてきます。各日本文を聞いた後、すぐに英文にしなさい。

Unit 3

議題の確認

ビジネス会議が開かれています。使用言語は英語です。アジェンダに沿ってプレゼンテーションが始まりました。このユニットは「議題の確認」です。

1. 日本語を参考にして、下記の単語リストより最も適切な単語を選びその記号を（　）に記入しなさい。

(1) 弊社の本事業年度*の業績の概要を説明いたします。
We would like to give an (①　　) of our business (②　　) for this fiscal year.

(2) 弊社のプレゼンテーションでは、私どものオンラインビジネスの可能性についてお話しいたします。
In our presentation, we'd like to (③　　) about the (④　　) of our online business.

(3) 本日のプレゼンテーションは新型バン開発の提案についてです。
Today's presentation is (⑤　　) the proposal for (⑥　　) a new van.

(4) 競合に関するわが社の市場調査結果の概要を説明いたします。
We'd like to outline the (⑦　　) of our market research on the (⑧　　).

(5) 本日は、弊社と資本提携*を結ぶことの利点について説明いたします。
Today, we'd like to (⑨　　) the (⑩　　) of forming a capital tie-up with us.

a. benefits	b. competition	c. developing	d. explain	e. findings
f. overview	g. performance	h. potential	i. regarding	j. speak

Notes

- 事業年度 (business/fiscal year)
  会社の経営成績や、財務状態を表す決算書を作成する為の年度を区切った期間 (1 年間) のこと。
- 資本提携（capital cooperation/affiliation/alliance/tie-up）
  2 社以上の会社が資金面で協力すること。一方の企業が提携先企業の株式を取得、あるいはそれぞれの企業が株式を持ち寄って提携関係を築く。

2. Exercise

10-11

2-1 上記の５つの英文が順番に聞こえてきます。各英文を聞いた後、すぐにリテンションしなさい。

2-2 上記の５つの日本文が順番に聞こえてきます。各日本文を聞いた後、すぐに英文にしなさい。

3. 日本語を参考にして英単語を並び替え、英文を完成させなさい。

(1) 本日の私どものプレゼンテーションは、開発中のモデルに関連する品質問題を取り扱います。
[quality issues / related to / under development / the model / deals with]
Our presentation today ______________________________.

(2) 両社間の協業の展望について発表いたします。
[between our firms / collaboration / you / present to / the prospect of / business]
We'd like to ______________________________.

(3) 製品の差別化* に関する事項の概要を説明するために本日参りました。
[the differentiation of / to brief / pertaining to / on items / you / products]
We are here today ______________________________.

(4) 価格競争力* に関して、弊社モデルの仕様についてご説明いたします。
[in relation to / the specifications of / describe / price competitiveness / our models]
We will ______________________________.

(5) 弊社は本日、実行可能性* 調査の結果について発表いたします。
[on / our feasibility study / a presentation today / give / the results of]
We will ______________________________.

Notes

- 差別化 (differentiation)
  競合他社の商品と比較して機能等において差異を設けること。
- 価格競争力 (price competitiveness)
  同種の商品の性能や装備などの各種特徴を比較し、価格と照らし合わせた価値を指す。
- 実行可能性 (feasibility)
  企業が新しい試みを始める時に、目的に到達することができるのか、利益は得られるのかといった可能性を指す。

4. Exercise

12-13

4-1 上記の５つの英文が順番に聞こえてきます。各英文を聞いた後、すぐにリテンションしなさい。

4-2 上記の５つの日本文が順番に聞こえてきます。各日本文を聞いた後、すぐに英文にしなさい。

Unit 4 目的

ビジネス会議が開かれています。使用言語は英語です。アジェンダに沿ってプレゼンテーションが行われています。このユニットは「目的」です。

1. 日本語を参考にして、下記の単語リストより最も適切な単語を選びその記号を（　）に記入しなさい。

(1) このプレゼンテーションの目的は、未解決の問題に対する実行可能な解決策を見つけることです。
The goal of this presentation is to find a (①　　) solution to the (②　　) problems.

(2) プレゼンテーションの目的は、弊社の市場ポジショニング* の概要を皆様にお示しすることです。
The purpose of our presentation is to (③　　) you an (④　　) of our market positioning.

(3) これは、このプロジェクトに携わっている私たち全員にとりまして特に重要です。
This is (⑤　　) important for all of us who are (⑥　　) in this project.

(4) このプレゼンテーションは、M&A* に対する弊社の提案についての詳細説明です。
This presentation (⑦　　) a (⑧　　) explanation of our proposal for M&A.

(5) 当社の話は会社のコンピュータシステムの強化を計画されている皆様に関係するものです。
Our talk is (⑨　　) to those of you who plan to (⑩　　) corporate computer systems.

a. relevant	b. detailed	c. engaged	d. offer	e. deals with
f. pending	g. enhance	h. feasible	i. overview	j. especially

Notes

・市場ポジショニング (market positioning)
自社製品、自社ブランドの優位性を確保するため、戦略的にどのような位置づけをとるかを決めること。

・M&A（mergers and acquisitions: 合併と買収）
合併は複数の会社が一つになること。買収は一つの会社が他方の会社や事業を買い取ること。合併される会社は消滅し、買収される会社は株主は変わるが存続する。

2. Exercise

14-15

2-1 上記の５つの英文が順番に聞こえてきます。各英文を聞いた後、すぐにリテンションしなさい。

2-2 上記の５つの日本文が順番に聞こえてきます。各日本文を聞いた後、すぐに英文にしなさい。

3. 日本語を参考にして英単語を並び替え、英文を完成させなさい。

(1) この話の最後には、弊社の品揃えをよくお分かりいただけるでしょう。
[with / range / you'll be / product / our / familiar]
By the end of this talk, ______________________________.

(2) 報告書をご覧いただくと、皆様には脱炭素化* の進捗状況をよくご理解いただけるでしょう。
[appreciate / made on / you will / decarbonization / the progress]
Through viewing the report, ______________________________.

(3) われわれのプレゼンテーションは、再建計画* の執行を加速することを目指しています。
[the implementation / expedite / the restructuring plan / aims to / of]
Our presentation ______________________________.

(4) このプレゼンテーションは、弊社のグリーンリカバリー * 計画の最新情報を皆様にお伝えするものです。
[up to date / our green recovery plan / on / you / will bring]
This presentation ______________________________.

(5) 弊社のプレゼンテーションでは、生産の視点からテスト結果を実証いたします。
[viewpoint / we will / from / test results / verify / a manufacturing]
In our presentation, ______________________________.

Notes

・脱炭素化 (decarbonization)
地球温暖化の原因と言われている二酸化炭素など温室効果ガス排出の削減を指す。
・再建計画 (restructuring/revival/reconstruction/revitalization plan)
抜本的な経営構造改革に取り組むことにより、競争力を持つ経営体質に再生すること。
・グリーンリカバリー　(green recovery)
環境を重視した投資などを通して経済を浮上させようとする手法を指す。

4. Exercise

16-17

4-1 上記の５つの英文が順番に聞こえてきます。各英文を聞いた後、すぐにリテンションしなさい。

4-2 上記の５つの日本文が順番に聞こえてきます。各日本文を聞いた後、すぐに英文にしなさい。

Unit 5 構成

ビジネス会議が開かれています。使用言語は英語です。アジェンダに沿ってプレゼンテーションが行われています。このユニットは「構成」です。

1. 日本語を参考にして、下記の単語リストより最も適切な単語を選びその記号を（　）に記入しなさい。

(1) 弊社のプレゼンテーションでは、この提携の３つの成功要因についてお話しいたします。
Our presentation will (①　　) three key factors for success in this (②　　).

(2) 本日のプレゼンテーションには、企業統治* に関連した６つのセクションが含まれています。
Today's presentation (③　　) six sections (④　　) corporate governance.

(3) 本日の私どもの報告は、購買の観点から５つの重大なテーマを取り扱います。
Our report today (⑤　　) with five critical topics from a (⑥　　) viewpoint.

(4) 本日取り扱う４つの事柄は、すべて説明責任* に関連するものです。
The four topics we will (⑦　　) today are all (⑧　　) with accountability.

(5) 本日のわれわれのプレゼンテーションでは、製造会社に関する２つの案件を扱います。
There will be two (⑨　　)-related (⑩　　) covered in our presentation today.

a. issues	b. address	c. associated	d. contains	e. deals
f. concerning	g. partnership	h. manufacturer	i. purchasing	j. handle

Notes

・企業統治 (corporate governance)
企業の経営を監視・規律すること、あるいはその仕組みを指す。
・説明責任（accountability）
企業が自らの諸活動について利害関係者（stakeholder）に説明する義務を指す。

2. Exercise

18-19

2-1 上記の５つの英文が順番に聞こえてきます。各英文を聞いた後、すぐにリテンションしなさい。

2-2 上記の５つの日本文が順番に聞こえてきます。各日本文を聞いた後、すぐに英文にしなさい。

3. 日本語を参考にして英単語を並び替え、英文を完成させなさい。

(1) 弊社の報告は、さらなる話し合いが必要な３つのコスト問題を含んでいます。
[three cost / consists of / issues / require / which / further discussion]
Our report ....

(2) 本日のプレゼンの焦点は、敵対的買収* に関連した４つの事案です。
[today's presentation / of / is / four matters / the hostile takeover / related to]
The focus ....

(3) 私どもは、弊社の事業領域* の概要を説明し、財務の懸念事項へと移ります。
[outline / and / our business domain / financial concerns / move on to]
We will ....

(4) 私どもは、弊社の調査結果と課題につき詳しく説明いたします。
[our survey / challenges / and / of / the results / detail]
We will explain in ....

(5) 私どもは、すぐに留意すべきサプライチェーン* 案件に焦点を当てます。
[supply chain items / highlight / that / our immediate / require / attention]
We will ....

Notes

- 敵対的買収 (hostile takeover)
  買収企業が買収対象企業を実質的に支配することなどを目的として、当該企業の合意を得ないままその株式を買い集めることを指す。
- 事業領域 (business domain)
  企業が経済活動を展開する事業、または主力事業となる本業を指す。「事業ドメイン」とも呼ぶ。
- サプライチェーン (supply chain)
  製品や商品が消費者に届くまでの過程であり、調達・製造・在庫管理・配送・販売・消費といった一連の流れを指す。

4. Exercise

20-21

4-1 上記の５つの英文が順番に聞こえてきます。各英文を聞いた後、すぐにリテンションしなさい。

4-2 上記の５つの日本文が順番に聞こえてきます。各日本文を聞いた後、すぐに英文にしなさい。

Unit 6

所要時間・配布物・Q&A

ビジネス会議が開かれています。使用言語は英語です。アジェンダに沿ってプレゼンテーションが行われています。このユニットは「所要時間・配布物・Q&A」です。

1. 日本語を参考にして、下記の単語リストより最も適切な単語を選びその記号を（　）に記入しなさい。

(1) これから1時間、弊社は市場浸透* についてお話しいたします。
During the next hour, we will give a talk on the (①　　) of market (②　　).

(2) 20分程､環境に優しい製品に対するニーズの増加について詳しくお話しいたします。
For about 20 minutes, we'll (③　　) on the growing need for (④　　) products.

(3) 私どものプレゼンテーションは1時間半程を予定しており、市場開拓* を取り上げます。
Our presentation will (⑤　　) about an hour and a half and will cover market (⑥　　).

(4) 弊社の報告に30分程いただきまして、見込み客についての最新情報を皆様にお伝えいたします。
Approximately 30 minutes are (⑦　　) aside for our report to (⑧　　) you on prospective customers.

(5) 配布物を一枚ずつお取りになり、他の出席者の方にお渡しください。
Please take one handout and (⑨　　) them on to the other (⑩　　).

a. set	b. take	c. expand	d. pass	e. subject
f. attendees	g. penetration	h. eco-friendly	i. update	j. development

Notes

・市場浸透 (market penetration)
自社製品をマーケットに浸透させる活動のこと。既存のマーケットでの製品売上を向上させるための戦略を指す。

・市場開拓 (market development)
既存の製品を新しい市場で売って儲けを増やす戦略を指す。

2. Exercise

22-23

2-1 上記の５つの英文が順番に聞こえてきます。各英文を聞いた後、すぐにリテンションしなさい。

2-2 上記の５つの日本文が順番に聞こえてきます。各日本文を聞いた後、すぐに英文にしなさい。

3. 日本語を参考にして英単語を並び替え、英文を完成させなさい。

(1) 弊社は、プレゼンテーションのスライドのコピーを後ほど配布いたします。
[out / be handing / our presentation slides later / copies of]
We will …………………………………………………………………………………….

(2) エシカル消費* に関して、手元の資料をざっとご覧ください。
[with regard to / at hand / the materials / run through / ethical consumption]
Please …………………………………………………………………………………….

(3) ご質問がありましたら、いつでも結構ですのでご自由にお尋ねください。
[to / feel free / please / at any time / me / interrupt]
If you have any questions, ……………………………………………………….

(4) 私どもの発表の後、国内総生産* の増加に関するどのようなご質問にも喜んでお答えいたします。
[in GDP / on / any questions / answer / growth / following]
We are happy to ……………………………………………………………………………
our presentation.

(5) 国民総所得* に関する質疑応答に20分程度割り当てられています。
[or so / GNI / allocated for / about 20 minutes / regarding / a Q&A]
There will be ……………………………………………………………………………….

Notes

・エシカル消費 (ethical consumption)
地域の活性化や雇用なども含む、人や社会・環境に配慮した消費行動を指す。
・国内総生産 (gross domestic product: GDP)
一定期間内に国内で新しく生産されたサービスや商品の付加価値の総和のこと。
・国民総所得 (gross national income: GNI)
居住者が国内外から１年間に得た所得の合計のこと。

4. Exercise

24-25

4-1 上記の５つの英文が順番に聞こえてきます。各英文を聞いた後、すぐにリテンションしなさい。

4-2 上記の５つの日本文が順番に聞こえてきます。各日本文を聞いた後、すぐに英文にしなさい。

Unit 7 本論

ビジネス会議が開かれています。使用言語は英語です。アジェンダに沿ってプレゼンテーションが行われています。このユニットは「本論」です。

1. 日本語を参考にして、下記の単語リストより最も適切な単語を選びその記号を（　）に記入しなさい。

(1) われわれは、当社の事業計画書のエグゼクティブ・サマリー* の再検討から始めます。
We will (①　　) with a (②　　) of the executive summary of our business plan.

(2) 次に、第２四半期* における当社の営業成績を説明いたします。
Next, we will (③　　) our business (④　　) in the second quarter.

(3) この組織図を参照しながら、まず弊社のプロフィールをご紹介いたします。
We will start by introducing our company's profile while (⑤　　) to this (⑥　　) chart.

(4) まず最初に、弊社の品揃えの概要を説明いたします。
First of all, let us give you an (⑦　　) of our product (⑧　　).

(5) この後、次期モデルの改良点に関する私どもの報告が続きます。
This will be (⑨　　) by our report on (⑩　　) for the next model.

a. overview	b. followed	c. organization	d. begin	e. performance
f. improvements	g. range	h. describe	i. review	j. referring

Notes

・エグゼクティブ・サマリー (executive summary)
事業計画書の冒頭に計画の概要や重要な論点などを整理し、まとめたもの。

・四半期 (quarter)
１年間のうちの４分の１のこと。 企業は通常四半期決算を行い、４月から６月までが第１四半期、７月から９月までが第２四半期、10 月から 12 月が第３四半期、１月から３月までを第４四半期と呼ぶ。

2. Exercise

26-27

2-1 上記の５つの英文が順番に聞こえてきます。各英文を聞いた後、すぐにリテンションしなさい。

2-2 上記の５つの日本文が順番に聞こえてきます。各日本文を聞いた後、すぐに英文にしなさい。

3. 日本語を参考にして英単語を並び替え、英文を完成させなさい。

(1) この多国籍企業* の総収益について、ご報告するために本日参りました。
[this multinational corporation / on / of / to report / the overall profit]
We are here today ……………………………………………………………………………….

(2) まず最初に、弊社は合理化提案の背景にある考え方に焦点を当てます。
[behind / the thinking / focus / our rationalization proposal / on]
To start, we will ………………………………………………………………………………….

(3) まず、私どもは弊社製品の品質面での改良に重きを置きます。
[the quality / accentuate / in / of / improvements]
First, we will ………………………………………………………………… our products.

(4) 第２に、業務提携* を結ぶ利点の概要を皆様に説明いたします。
[forming / briefed / a business alliance / the merits of / on]
Second, you will be ……………………………………………………………………………….

(5) まず最初に、わが社は円とドルの為替相場* の見通しについて触れておきます。
[for / the outlook / upon / the yen-dollar exchange rate / touch]
To begin, we will ………………………………………………………………………………….

Notes

・ 多国籍企業 (multinational corporation/company)
複数の国に生産と流通の拠点を持ち、国際的に事業活動を行う企業のこと。
・ 業務提携 (business alliance/tie-up)
企業が共同で事業を行うことで、相乗効果(synergy)による事業競争力の強化を目指すもの。
・ 為替相場 (exchange rate)
異なる通貨を交換する上での割合を指す。

4. Exercise

28-29

4-1 上記の５つの英文が順番に聞こえてきます。各英文を聞いた後、すぐにリテンションしなさい。

4-2 上記の５つの日本文が順番に聞こえてきます。各日本文を聞いた後、すぐに英文にしなさい。

Unit 8

調査

ビジネス会議が開かれています。使用言語は英語です。アジェンダに沿ってプレゼンテーションが行われています。このユニットは「調査」です。

1. 日本語を参考にして、下記の単語リストより最も適切な単語を選びその記号を（　）に記入しなさい。

(1) わが社の市場調査で、電気自動車* の生産におけるレアメタル* の需要の増加が明らかになりました。
Our market research has (① 　　) the (② 　　) demand for minor metals in EV production.

(2) われわれの主力商品の潜在的マーケットに関する調査が実施されてきました。
There has been research conducted on (③ 　　) markets for our (④ 　　) product.

(3) この問題の原因は、再発を防ぐために調査されるべきです。
The cause of this problem should be (⑤ 　　) to prevent it from (⑥ 　　) again.

(4) 今後故障の再発を防ぐため、当社は原因を調査するべきです。
We should investigate the reason for the (⑦ 　　) to (⑧ 　　) it in the future.

(5) 耐久性* 問題の原因究明の弊社の取り組みに大きな進展がありました。
Much (⑨ 　　) was made in our efforts to (⑩ 　　) the source of the durability problem.

a. occurring	b. rising	c. flagship	d. failure	e. progress
f. identify	g. revealed	h. potential	i. investigated	j. avoid

Notes

・電気自動車（electric vehicle: EV）のバッテリーにはリチウム (lithium) などのレアメタルが使われている。
・レアメタル (minor/rare metal)
様々な理由から産業界での流通量･使用量が少なく希少な非鉄金属 (鉄以外の金属) のこと。
・耐久性 (durability)
製品やシステム、建造物等の時間経過による物理的な劣化に対してどのくらい長く使えるかを表す。

2. Exercise

30-31

2-1 上記の５つの英文が順番に聞こえてきます。各英文を聞いた後、すぐにリテンションしなさい。

2-2 上記の５つの日本文が順番に聞こえてきます。各日本文を聞いた後、すぐに英文にしなさい。

3. 日本語を参考にして英単語を並び替え、英文を完成させなさい。

(1) わが社の製品全般のコスト競争力についての調査を実施いたします。
[as a whole / our merchandise / the cost competitiveness of / a survey on / run]
We will ....

(2) これらの長年に亘る問題は使用者の観点からさらなる調査が必要です。
[from the users' perspective / require / long-standing / further investigation / issues]
These ....

(3) われわれは、当社のマザー工場* 用の建設候補地を探すための調査を行っています。
[to locate / engaged / for our mother plant / in a study / potential sites]
We are ....

(4) ロジスティクス* システム向上のための可能性を詳しく調査しましょう。
[the possibilities for / explore / in our logistics system / us / enhancement]
Let ....

(5) 弊社はインドでの調達部品の信頼性* に対する調査を行う計画です。
[procured / planning to / parts / in India / the reliability of / research]
We are ....

Notes

・マザー工場 (mother plant)
海外に工場を建設する際に、生産システムなどのモデルとなる工場のこと。
・ロジスティク（logistics）
物流 (physical distribution, distribution) の一連の流れを最適化し一元管理すること。
・信頼性（reliability, dependability）
一定の条件下で、安定して期待される役割を果たすことのできる能力のこと 。

4. Exercise

32-33

4-1 上記の５つの英文が順番に聞こえてきます。各英文を聞いた後、すぐにリテンションしなさい。

4-2 上記の５つの日本文が順番に聞こえてきます。各日本文を聞いた後、すぐに英文にしなさい。

Unit 9

現状・進捗

ビジネス会議が開かれています。使用言語は英語です。アジェンダに沿ってプレゼンテーションが行われています。このユニットは「現状・進捗」です。

1. 日本語を参考にして、下記の単語リストより最も適切な単語を選びその記号を（　）に記入しなさい。

(1) 私どもは、これらの企業間の協業 * の現状を分析いたします。
We are going to (①　　) the current status of the collaboration between these (②　　).

(2) 弊社は、収益性の観点からプロジェクトの現状について目を通します。
We will (③　　) over the present status of the project in terms of (④　　).

(3) 弊社は、市場細分化 * の観点から調達の状況を調べます。
We will (⑤　　) the status of our products from the (⑥　　) of market segmentation.

(4) 当社の工場でのコスト削減活動の進捗に目を通します。
Let us run through the (⑦　　) of cost (⑧　　) activities at our factory.

(5) われわれは、事業戦略を踏まえ海外プロジェクトの展開を評価いたします。
We will (⑨　　) the development of overseas projects (⑩　　) upon our business strategy.

a. evaluate	b. progress	c. examine	d. profitability	e. businesses
f. go	g. based	h. reduction	i. viewpoint	j. analyze

Notes

・協業 (collaboration)
　企業と企業とが協力して事業を行い新たな価値を創出すること、あるいはその事業を指す。
・市場細分化 (market segmentation)
　消費者を何らかの定義で分類し、企業が対象とする市場を絞り込むこと。

2. Exercise

34-35

2-1 上記の５つの英文が順番に聞こえてきます。各英文を聞いた後、すぐにリテンションしなさい。

2-2 上記の５つの日本文が順番に聞こえてきます。各日本文を聞いた後、すぐに英文にしなさい。

3. 日本語を参考にして英単語を並び替え、英文を完成させなさい。

(1) 弊社の専有技術* を強化するために進行中のプログラムがあります。
[our proprietary / to enhance / underway / a program / technology]
There is ______________________________.

(2) 企業間の相互交渉は当初の予定通りに進んでいます。
[between / negotiations / as originally / are progressing / the firms]
The bilateral ______________________________ scheduled.

(3) われわれは、納期の遅れを埋め合わせるための対策を講じています。
[delivery / the delayed / in place / to make up for / countermeasures]
We have ______________________________.

(4) その企業では基礎研究* と応用研究* の両方でかなりの進展がありました。
[research / in both / much headway made / at the company / basic and applied]
There has been ______________________________.

(5) 弊社のプレゼンテーションは、技術開発がどれほど進んでいるかについての詳細説明です。
[on / progress / detail / technological development / how much / has been made]
Our presentation will ______________________________.

Notes

- 専有技術（proprietary technology）
  製品やシステムの仕様や規格、構造、技術を独占的に保持され、公開されていないものを指す。「独自技術」とも呼ぶ。
- 基礎研究 (basic research)
  学術的な知識や、製品や利益に直接結び付くことのない技術と理論の発見に関する研究活動を指す。
- 応用研究 (applied research)
  基礎的な技術や理論を現実の製品に結び付けるための研究活動を指す。

4. Exercise

36-37

4-1 上記の５つの英文が順番に聞こえてきます。各英文を聞いた後、すぐにリテンションしなさい。

4-2 上記の５つの日本文が順番に聞こえてきます。各日本文を聞いた後、すぐに英文にしなさい。

Unit 10

問題・課題

ビジネス会議が開かれています。使用言語は英語です。アジェンダに沿ってプレゼンテーションが行われています。このユニットは「問題・課題」です。

1. 日本語を参考にして、下記の単語リストより最も適切な単語を選びその記号を（　）に記入しなさい。

(1) 弊社は、部品の不足から生じた緊急問題に直面しております。
We (①　　) imminent problems resulting from the (②　　) of parts.

(2) 弊社は、新商品発表のタイミングに関する懸案事項を抱えております。
We have (③　　) about the timing of our new product (④　　).

(3) この計画を実施する上で大きな障害となるのが、人件費* です。
The major (⑤　　) to the (⑥　　) of this plan is the labor cost.

(4) 私どもの緊急のビジネス案件は全体の費用を削減することです。
Our (⑦　　) business issue is to (⑧　　) the company's overall expenses.

(5) その持株会社* は、経営統合においてかなりの問題を抱えています。
The holding company is having (⑨　　) difficulty in (⑩　　) businesses.

a. integrating	b. lower	c. considerable	d. shortage	e. launch
f. face	g. implementation	h. concerns	i. obstacle	j. pressing

Notes

・人件費 (personnel expense/expenditure, labor cost)
労働に対して支払われる給与や各種手当てのこと。
・持株会社 (holding company)
子会社の経営や事業を支配することを目的に株式を保有し、グループ全体の経営戦略や事業計画などに携わる会社を指す。

2. Exercise

38-39

2-1 上記の５つの英文が順番に聞こえてきます。各英文を聞いた後、すぐにリテンションしなさい。

2-2 上記の５つの日本文が順番に聞こえてきます。各日本文を聞いた後、すぐに英文にしなさい。

3. 日本語を参考にして英単語を並び替え、英文を完成させなさい。

(1) 3社の供給業者* に関して、当社は納品についての事案を心配しています。
[delivery-related / three vendors / with / pertaining to / concerned / matters]
We are …….

(2) 5社の自動車販売店のアフターサービスについて懸念があります。
[some / five car dealers / concern / the after-sales service / over / of]
There is ……….

(3) 現在の景気* は、われわれの業界に深刻な課題を投げかけています。
[poses / our / a serious challenge / business climate / industry / to]
Today's ……….

(4) われわれは、弊社の人員を削減する任務についています。
[at / the task / engaged in / personnel / cutting back on / of]
We are ………
our corporation.

(5) 私の任務は、ロンドンの駐在員* としての勤務です。
[assignment / to work / an expatriate / as / in / is]
My ……………………………………………………………………………………………………… London.

Notes

- 供給業者 (supplier, vendor)
  部品やコンポーネントを納入する業者。品質・納期・コストが供給業者によって影響される。「納入業者」とも呼ぶ。
- 景気 (economic climate, business condition)
  生産や販売などの経済活動全般の動向を指す。
- 駐在員（expatriate, expat, resident/liaison employee/representative）
  業務や任務のために一定期間派遣され、特定の場所にとどまる社員・職員を指す。

4. Exercise

40-41

4-1 上記の５つの英文が順番に聞こえてきます。各英文を聞いた後、すぐにリテンションしなさい。

4-2 上記の５つの日本文が順番に聞こえてきます。各日本文を聞いた後、すぐに英文にしなさい。

Unit 11

計画・対策

ビジネス会議が開かれています。使用言語は英語です。アジェンダに沿ってプレゼンテーションが行われています。このユニットは「計画・対策」です。

1. 日本語を参考にして、下記の単語リストより最も適切な単語を選びその記号を（ ）に記入しなさい。

(1) 弊社は研究開発* の詳細計画を立てるつもりです。
We intend to (①) up a (②) plan for R&D.

(2) 取締役会* が 4 月 4 日の金曜日に予定されています。
The (③) of directors' meeting is (④) for Friday, April 4.

(3) 当社は経営理念を具体化する長期戦略を立てます。
We will map out a long-range (⑤) that (⑥) our business philosophy.

(4) 共同プロジェクトのために包括的事業計画が作成されます。
A (⑦) business scheme will be (⑧) out for the joint project.

(5) 弊社は、緊急問題を解決するために早急に対策を立てる計画です。
We plan to promptly work out (⑨) to (⑩) urgent issues.

a. strategy	b. detailed	c. comprehensive	d. resolve	e. scheduled
f. substantiates	g. board	h. measures	i. written	j. draw

Notes

- 研究開発 (research and development: R&D)
  特定の対象の基礎研究や応用研究のこと。将来的に発展する技術試験を行い、技術的優位を得るための活動を指す。
- 取締役会 (the board of directors' meeting)
  株式会社の業務執行の意思決定等を行う合議体のこと。

2. Exercise

Disc 2 1-2

2-1 上記の５つの英文が順番に聞こえてきます。各英文を聞いた後、すぐにリテンションしなさい。

2-2 上記の５つの日本文が順番に聞こえてきます。各日本文を聞いた後、すぐに英文にしなさい。

3. 日本語を参考にして英単語を並び替え、英文を完成させなさい。

(1) 当社は、付加価値* のない項目を最小限にする予防策を採用するべきです。
[to minimize / measures / non-value added / preventive / items]
We should adopt ____.

(2) この重大な欠陥に対処するために、弊社はただちに対策を講じます。
[this critical / right away / action / corrective / to address]
We will take ____
shortcoming.

(3) 新しい EU の安全規定が来年 1 月に施行されることになっています。
[take / due to / next January / effect / are]
The new EU safety regulations ____.

(4) 当社は、株主総会* に間に合うように年次報告書* を準備いたします。
[for / meeting / in time / the shareholders' / its annual report / prepare]
Our company will ____.

(5) その企業は、商品開発プロセスを合理化するためのプログラムを作成します。
[product / process / to rationalize / development / its / a program]
The firm will formulate ____.

Notes

- 付加価値 (added value)
  商品やサービスに新たに付与された価値を指す。非付加価値（付加価値のない）は、non-value added という。
- 株主総会 (general meeting of shareholders/stockholders, shareholders'/stockholders' meeting)
  会社法で定められた株式会社の最高決定機関。決算承認などを行う年 1 回の定時株主総会と、合併など重大決議事項のための臨時株主総会 (extraordinary general meeting of shareholders) がある。
- 年次報告書 (annual report)
  経営内容についての総合的な情報を掲載した冊子である。「アニュアルレポート」ともいい、企業がディスクロージャー（情報公開）の観点から任意で発行する。

4. Exercise

3-4

4-1 上記の５つの英文が順番に聞こえてきます。各英文を聞いた後、すぐにリテンションしなさい。

4-2 上記の５つの日本文が順番に聞こえてきます。各日本文を聞いた後、すぐに英文にしなさい。

Unit 12

目標

ビジネス会議が開かれています。使用言語は英語です。アジェンダに沿ってプレゼンテーションが行われています。このユニットは「目標」です。

1. 日本語を参考にして、下記の単語リストより最も適切な単語を選びその記号を（ ）に記入しなさい。

(1) われわれの目標顧客は 30 代後半の職業を持っている女性です。
Our (①) customers are career women in their (②) thirties.

(2) この予測では、私どもは事業目標を満たす、あるいは超えるでしょう。
According to this (③), we will meet or (④) our business objectives.

(3) これらの SDGs* 目標を達成できていない具体的な理由がいくつかあります。
There are some specific (⑤) why these SDGs have not been (⑥).

(4) この目標のため、弊社はロジスティクス事業を速やかに合理化するつもりです。
To this (⑦), we aim to promptly (⑧) our logistics operations.

(5) ビジネスを活性化* するため、弊社は海外事業を拡大することを考えています。
In an attempt to (⑨) our business, we are thinking of (⑩) overseas operations.

a. expanding	b. end	c. projection	d. late	e. revitalize
f. target	g. exceed	h. reasons	i. streamline	j. achieved

Notes

・SDGs (sustainable development goals) 日本語で「持続可能な開発目標」と呼ばれる。2015 年 9 月の国連サミットで加盟国の全会一致で採択された「持続可能な開発のための 2030 アジェンダ」に記載され、持続可能でより良い世界を目指す国際目標である。
・活性化（vitalization, revitalization, activation）
沈滞している状態や機能を活発にすること。動詞は、vitalize, revitalize, activate である。

2. Exercise

5-6

2-1 上記の 5 つの英文が順番に聞こえてきます。各英文を聞いた後、すぐにリテンションしなさい。

2-2 上記の 5 つの日本文が順番に聞こえてきます。各日本文を聞いた後、すぐに英文にしなさい。

3. 日本語を参考にして英単語を並び替え、英文を完成させなさい。

(1) われわれは、次の事業年度の販売目標を設定しました。
[the next fiscal year / have / a sales target / set / for]
We ______________________________.

(2) 第 1 四半期の営業利益* は目標をかなり超えました。
[during / operating profit / the first quarter / well above / was / the target]
The ______________________________.

(3) 3 月 31 日締めの四半期の純利益* は、当社の目標を達成しました。
[corporate target / for / met / ended March 31 / the quarter / our]
The net profit ______________________________.

(4) 当社は、新工場への投資目標をかなり下回っています。
[for / substantially behind / are falling / in our investment target / the new plant]
We ______________________________.

(5) 当社の再建を目標として、中期経営計画* を練るべきです。
[our company / the mid-term / should be / business plan / refined / restructuring]
With an eye to ______________, ______________.

Notes

・営業利益 (operating profit)
売上高 (sales) から売上原価 (cost of sales)、販売費 (selling expense) と一般管理費 (general administrative expense) を差し引いたものを指す。
・純利益 (net profit)
「当期利益」とも呼ばれる。企業が得た収入からすべての費用を引き、最終的に残った純粋な利益のこと。
・中期経営計画 (mid-term business plan)
企業が中期的 (3~5 年) に目指すあり方と現状とのギャップを埋めるための計画のこと。

4. Exercise

7-8

4-1 上記の５つの英文が順番に聞こえてきます。各英文を聞いた後、すぐにリテンションしなさい。

4-2 上記の５つの日本文が順番に聞こえてきます。各日本文を聞いた後、すぐに英文にしなさい。

Unit 13

強み・弱み

ビジネス会議が開かれています。使用言語は英語です。アジェンダに沿ってプレゼンテーションが行われています。このユニットは「強み・弱み」です。

1. 日本語を参考にして、下記の単語リストより最も適切な単語を選びその記号を（　）に記入しなさい。

(1) この製品の強みは高品質と低価格です。
The (①　　) of this product are its high (②　　) and low price.

(2) 私どもは、このモデルは他と比べて明らかな強みがあることを強調いたします。
We would like to (③　　) that this model has (④　　) advantages over the others.

(3) わが社のアフターサービス*の弱点を評価することは不可欠です。
It is (⑤　　) for us to (⑥　　) the weaknesses of our after-sales service.

(4) 倉庫を設置することの利点の一つは、当社が納期を短縮できることです。
One (⑦　　) of setting up a warehouse is that we can (⑧　　) our delivery time.

(5) 海外調達*の促進には利点と欠点があります。
There are merits and (⑨　　) to the promotion of overseas (⑩　　).

a. demerits	b. benefit	c. quality	d. stress	e. strengths
f. procurement	g. tangible	h. essential	i. shorten	j. evaluate

Notes

- アフターサービス (after-sales service)
  アフターサービスは和製英語である。販売した商品の修理・メンテナンスについて、販売者が購買者に提供するサービスのことである。
- 海外調達 (overseas/offshore procurement)
  企業がその活動に必要な原材料、部品、あるいは製品や労働力を海外から調達すること。

2. Exercise

9-10

2-1 上記の５つの英文が順番に聞こえてきます。各英文を聞いた後、すぐにリテンションしなさい。

2-2 上記の５つの日本文が順番に聞こえてきます。各日本文を聞いた後、すぐに英文にしなさい。

3. 日本語を参考にして英単語を並び替え、英文を完成させなさい。

(1) わが社が考慮に入れるべき他の欠点は古い企業風土* です。
[we / drawback / the old corporate culture / take into account / must / is]
Another ______________________________.

(2) この仕事の長所の一つは、海外出張に行く機会が多いことです。
[numerous opportunities / the pluses / is / to travel abroad / of this job / on business]
One of ______________________________.

(3) 弊社の成功の鍵は他のメーカーに QCD* で優位に立ち続けたことでした。
[our superiority in QCD / maintaining / our success / other manufacturers / was / over]
The key to ______________________________.

(4) それぞれの案の長所と短所は徹底的に比較されるべきです。
[compared thoroughly / of / advantages and disadvantages / be / should / each scheme]
The ______________________________.

(5) 両社は、強みと弱みの観点においてお互いに補完する* ことができます。
[in light of / can / each other / their strengths and weaknesses / complement]
Both companies ______________________________.

Notes

- 企業風土 (corporate culture)
  組織において共通認識となっている、独自的・固定的な価値観や規則などを指す。
- QCD (quality cost delivery)
  品質・コスト・納期のこと。製造業において生産管理を行う上で考えるべき、3つの重要な要素である。
- 補完する (complement, supplement)
  足りない点を補って完全にすること。「補完関係」は、complementary relationship, mutual complementation という。

4. Exercise

11-12

4-1 上記の５つの英文が順番に聞こえてきます。各英文を聞いた後、すぐにリテンションしなさい。

4-2 上記の５つの日本文が順番に聞こえてきます。各日本文を聞いた後、すぐに英文にしなさい。

Unit 14

実施

ビジネス会議が開かれています。使用言語は英語です。アジェンダに沿ってプレゼンテーションが行われています。このユニットは「実施」です。

1. 日本語を参考にして、下記の単語リストより最も適切な単語を選びその記号を（　）に記入しなさい。

(1) 当社の販売量を増やすため、新たな事業を立ち上げる計画です。
We are planning to (①　　) upon a new undertaking to (②　　) our sales.

(2) コスト削減プログラムが全社的実施に向けて計画されています。
The cost (③　　) program is scheduled for (④　　) company-wide.

(3) 稼働率*を上げるために、いくつかの改良された製造ラインが設置されます。
There will be some modified assembly lines in (⑤　　) to increase (⑥　　) rates.

(4) 長期事業計画がただちに実施される予定です。
The long-term (⑦　　) plan is due to be (⑧　　) immediately.

(5) 欠陥の数を減らすためのカイゼン*計画が進行中です。
A continuous (⑨　　) scheme is (⑩　　) to decrease the number of defects.

a. implementation	b. business	c. embark	d. underway	e. boost
f. place	g. reduction	h. operating	i. improvement	j. executed

Notes

・稼働率 (operating/operational rate, the rate of operations)
生産能力の総量に対する実際の生産量の比率のこと。あるいは、設備の総数に対して実際に稼働している設備の比率を指す。
・カイゼン / 改善 (continuous improvement)
生産現場の作業や業務の中にあるムダを排除し、より価値が高いものを残すように、作業や業務のやり方を変える活動のこと。現在では間接部門やその他サービス業でも使われている。

2. Exercise

13-14

2-1 上記の5つの英文が順番に聞こえてきます。各英文を聞いた後、すぐにリテンションしなさい。

2-2 上記の5つの日本文が順番に聞こえてきます。各日本文を聞いた後、すぐに英文にしなさい。

3. 日本語を参考にして英単語を並び替え、英文を完成させなさい。

(1) 弊社はプロジェクトの収益性* を監視するプログラムを策定いたします。
[to monitor / establish / our projects / the profitability of / a program]
We will ______________________________.

(2) わが社の低価格製品の販売量を増やすため、販売促進が実施されます。
[to increase / carried out / our low-end products / the sales of]
A promotion will be ______________________________.

(3) ジョブズ氏をリーダーとして、新キャド* システムの全面的な試運転が実施されます。
[as leader / undergo / with Mr. Jobs / a full-scale trial]
The new CAD system will ______________________________.

(4) 事業戦略の重要度順に、われわれはプロジェクトを実施いたします。
[priority / projects / based on / implement / our business / in order of]
We will ______________________________ strategy.

(5) 経済効果を最大化するために、弊社は事業の合理化を図る構造改革* に着手いたします。
[operations / to streamline / a structural reform / economic benefit / for maximum]
We will undertake ______________________________.

Notes

- 収益性 (profitability)
  会社が稼ぐ力のこと。収益性指標の一つである売上高純利益率 (net profit margin) は本業で稼ぐ力といわれている
- キャド (computer-aided design: CAD)
  コンピュータを使い設計すること、あるいはコンピュータ設計支援ツールのこと (CAD システム)。自動車や建築、服飾などの設計で使われている。
- 構造改革（structural reform）
  政治・社会制度や産業構造などの抜本的な改革を推し進めること。

4. Exercise

15-16

4-1 上記の５つの英文が順番に聞こえてきます。各英文を聞いた後、すぐにリテンションしなさい。

4-2 上記の５つの日本文が順番に聞こえてきます。各日本文を聞いた後、すぐに英文にしなさい。

Unit 15 事例

ビジネス会議が開かれています。使用言語は英語です。アジェンダに沿ってプレゼンテーションが行われています。このユニットは「事例」です。

1. 日本語を参考にして、下記の単語リストより最も適切な単語を選びその記号を（ ）に記入しなさい。

(1) ベストプラクティス* のいくつかの事例を皆様にご紹介しましょう。
Let us (①) you some examples of best (②).

(2) ここで、非倫理的な商慣行の具体的な例を挙げてみましょう。
Here is a (③) example of (④) business practice.

(3) 失敗した場合、弊社は事業計画を再検討する計画です。
We are planning to (⑤) our business plan in the (⑥) of failure.

(4) 御社の支払いに関するいくつかの実例をご紹介いたします。
We will introduce some practical cases in (⑦) with your (⑧).

(5) 外資系企業* に対するその様な訴訟の前例はありません。
There is no (⑨) for such (⑩) against a foreign-affiliated company.

a. event	b. precedent	c. unethical	d. practices	e. restructure
f. give	g. connection	h. lawsuits	i. concrete	j. payment

Notes

・ベストプラクティス（best practice）
ある結果を得るのに最も効率のよい技法・手法・プロセス・活動などのこと。「最良事例」と呼ばれることもある。
・外資系企業（foreign-affiliated company/firm）
外国法人あるいは外国人が一定程度以上の出資をする日本の企業のこと。

2. Exercise

17-18

2-1 上記の５つの英文が順番に聞こえてきます。各英文を聞いた後、すぐにリテンションしなさい。

2-2 上記の５つの日本文が順番に聞こえてきます。各日本文を聞いた後、すぐに英文にしなさい。

3. 日本語を参考にして英単語を並び替え、英文を完成させなさい。

(1) 例えば、自動車産業には多くの契約社員がいます。
[many / instance / in the automobile industry / contract employees / are]
For ________, there ________________.

(2) こういう事情なので、当社は連結最終損益* を 32 億円の赤字と見積もっています。
[3.2 billion yen / the case / net loss of / a consolidated / estimate]
Such being ________, we ________________.

(3) ハイブリッド車* の場合、走行距離の面で改良の余地がかなりあります。
[on mileage / improvement / hybrid vehicles / case of / much room for]
In the ________________, there is ________________.

(4) 例を挙げると、扱いやすさがその製品の最も際立っている特徴の一つです。
[the product / striking / one of the most / is / characteristics of]
To give an example, easy-handling ________________.

(5) ほとんど例外なく、日本企業は円高* により大打撃を受けています。
[by / hit hard / exceptions / the yen's appreciation / have been]
With few ________, Japanese companies ________________.

Notes

- 連結最終損益（consolidated net profit and loss）
  企業がグループ全体で得た最終的な損益のこと。
- ハイブリッド車（hybrid vehicle）
  2 つ以上の動力源を備えている車のこと。ガソリンエンジンと電気モーターの 2 つの動力源を備えた車をさす場合が多い。
- 円高（yen's appreciation, the appreciation of yen, strong yen）
  他国通貨に対する円の価値が高くなること。例えば、1 ドル = 100 円から 1 ドル = 80 円になった場合には円高となる。

4. Exercise

19-20

4-1 上記の５つの英文が順番に聞こえてきます。各英文を聞いた後、すぐにリテンションしなさい。

4-2 上記の５つの日本文が順番に聞こえてきます。各日本文を聞いた後、すぐに英文にしなさい。

Unit 16

図表

ビジネス会議が開かれています。使用言語は英語です。アジェンダに沿ってプレゼンテーションが行われています。このユニットは「図表」です。

1. 日本語を参考にして、下記の単語リストより最も適切な単語を選びその記号を（　）に記入しなさい。

(1) この折れ線グラフは、月別生産量の変動を示しています。
This (①　　) graph indicates (②　　) in monthly production volume.

(2) これらの棒グラフは 2020 年から 2025 年の企業業績* を比較するものです。
These (③　　) graphs compare corporate (④　　) from 2020 to 2025.

(3) この表の数字は 2021 年から 2026 年の間接費* の変化を表しています。
The figures in this (⑤　　) represent changes in (⑥　　) between 2021 and 2026.

(4) このグラフは商業車の販売台数の変化を時系列に表しています。
This chart (⑦　　) the change in sales of commercial vehicles in (⑧　　) order.

(5) この図は成分の割合を少ない方から順番に表しています。
This (⑨　　) illustrates the proportion of ingredients in (⑩　　) order.

a. chronological	b. table	c. performance	d. bar	e. line
f. overhead	g. ascending	h. explains	i. diagram	j. fluctuations

Notes

・企業業績 (corporate performance/earnings, business performance/results)
一般的には会計年度における売上高や利益などを指す。

・間接費 (overhead, indirect cost)
製品やサービスに間接的、付随的に発生する費用のこと。管理費・人件費およびセキュリティ費用などが含まれる。

2. Exercise

21-22

2-1 上記の５つの英文が順番に聞こえてきます。各英文を聞いた後、すぐにリテンションしなさい。

2-2 上記の５つの日本文が順番に聞こえてきます。各日本文を聞いた後、すぐに英文にしなさい。

3. 日本語を参考にして英単語を並び替え、英文を完成させなさい。

(1) このフローチャートはシステム内の故障を診断する過程を説明したものです。
[the process of / describes / diagnosing / in the system / failures]
This flow chart ______.

(2) この表は２つのモデルのいくつかの重要項目を比較しています。
[comparison between / provides / important points of / the two models / several]
This table ______.

(3) 円グラフの赤色の部分は設備投資* を表しています。
[in red / the pie chart / depicts / investment / capital]
The segment of ______.

(4) 縦軸は早期退職* 制度に費やされた金額を示しています。
[money / indicates / spent on / the amount of / early retirement / axis]
The vertical ______
programs.

(5) 横軸は最先端の機械の減価償却* 期間を表しています。
[represents / machine / axis / the depreciation period / the cutting-edge / for]
The horizontal ______.

Notes

- 設備投資 (capital investment, plant and equipment investment)
  企業が事業を継続し、さらに拡大するために必要な設備に対して投資をすること。
- 早期退職 (early retirement)
  定年を迎える前に勤めていた組織を退職すること。会社都合退職と自己都合退職がある。前者は、経営悪化のため企業がリストラの一環として実施するものである。
- 減価償却 (depreciation)
  固定資産の購入費用を使用可能期間にわたって、分割して費用計上する会計処理のこと。

4. Exercise

23-24

4-1 上記の５つの英文が順番に聞こえてきます。各英文を聞いた後、すぐにリテンションしなさい。

4-2 上記の５つの日本文が順番に聞こえてきます。各日本文を聞いた後、すぐに英文にしなさい。

Unit 17

数値・程度

ビジネス会議が開かれています。使用言語は英語です。アジェンダに沿ってプレゼンテーションが行われています。このユニットは「数値・程度」です。

1. 日本語を参考にして、下記の単語リストより最も適切な単語を選びその記号を（　）に記入しなさい。

(1) 本事業年度の売上は、停滞気味の景気のため 10%減少しました。
Sales this (①　　) year fell by 10% due to the (②　　) business climate.

(2) 昨年度、弊社の市場占有率* は好景気のため 5% 伸びました。
Last year, our market (③　　) grew by 5% because of the (④　　) business climate.

(3) 販売台数は 17 万から 15 万へと減少が見られました。
There has been a (⑤　　) in sales (⑥　　) from 170 thousand to 150 thousand.

(4) 直接金融* の割合は 17% から 35% へ急激に増加しました。
The (⑦　　) of direct financing has (⑧　　) sharply to 35% from 17%.

(5) 外注量は 2018 年から 2023 年の間に 120 万台辺りで変動しました。
The outsourcing volume (⑨　　) around 1.2 million units (⑩　　) 2018 and 2023.

a. volume	b. between	c. fiscal	d. percentage	e. fluctuated
f. sluggish	g. strong	h. risen	i. share	j. decline

Notes

・市場占有率 (market share)
ある特定の市場全体の中で、ある商品がどれくらいの割合を占めているかを示す比率である。「マーケットシェア」ともいう。

・直接金融 (direct financing)
資金を必要とする企業や国などが、銀行などの第三者を介入させずに、社債・株式・公債を発行して、必要な資金を証券市場を通じ直接貸し手から調達すること。

2. Exercise

25-26

2-1 上記の５つの英文が順番に聞こえてきます。各英文を聞いた後、すぐにリテンションしなさい。

2-2 上記の５つの日本文が順番に聞こえてきます。各日本文を聞いた後、すぐに英文にしなさい。

3. 日本語を参考にして英単語を並び替え、英文を完成させなさい。

(1) 給料や賃貸料上昇の結果、われわれの固定費* は著しく増加しました。
[as / higher / markedly / a result of / salaries and rents]
Our fixed costs went up ________________________________.

(2) 景気停滞の見通しのため、弊社は変動費* を 20% 削減いたします。
[by 20% / on variable costs / owing to / business outlook / the poor]
We will cut down ________________________________.

(3) 当社は財務上の支出を最小限にするために、プロジェクトに優先順位をつけています。
[projects / prioritizes / in order to / the financial outlay / minimize]
The company ________________________________.

(4) 私どもは直接費* を最低限まで削減する計画を立てております。
[direct costs / retrench / possible level / planning to / to the lowest]
We are ________________________________.

(5) 予想に反して、わが社は本事業年度に２億４千万円の損失を負いました。
[our forecast / contrary to / a loss of / this business year / ¥240 million]
We incurred ________________________________.

Notes

・固定費 (fixed cost)
会社の売上高や販売数量などに影響されず発生する一定の費用のこと。給与・賞与・退職金や福利厚生費などの人件費が含まれる。
・変動費 (variable cost)
生産量や販売量に比例して増減する費用を指す。原材料費・販売手数料・運送費などが含まれる。
・直接費 (direct cost)
製品やサービスに関連して発生したことが明確に分かる費用のこと。一方、関連づけることが困難な費用は、間接費という。

4. Exercise

27-28

4-1 上記の５つの英文が順番に聞こえてきます。各英文を聞いた後、すぐにリテンションしなさい。

4-2 上記の５つの日本文が順番に聞こえてきます。各日本文を聞いた後、すぐに英文にしなさい。

Unit 18

質問

ビジネス会議が開かれています。使用言語は英語です。アジェンダに沿ってプレゼンテーションが行われています。このユニットは「質問」です。

1. 日本語を参考にして、下記の単語リストより最も適切な単語を選びその記号を（　）に記入しなさい。

(1) 弊社の限界利益* に関するご質問・ご意見はありますか。
Are (①　　) any questions or comments on our (②　　) profit?

(2) プレゼンテーション終了後、10 分間の質疑応答の時間を設けさせていただきます。
We will (③　　) (④　　) ten minutes for questions and answers after the presentation.

(3) 弊社は連結決算* に関する質疑応答の時間を設けております。
We have some time for questions and answers (⑤　　) the (⑥　　) settlement.

(4) これから契約違反に関するご質問をお受けいたします。
Now is your (⑦　　) to ask questions pertaining to contract (⑧　　).

(5) 私どもの提案に対して、忌憚のないご意見をいただければ幸いです。
We really (⑨　　) your (⑩　　) opinions regarding our proposal.

a. appreciate	b. set	c. infringement	d. there	e. consolidated
f. candid	g. aside	h. concerning	i. marginal	j. opportunity

Notes

- 限界利益 (marginal profit)
  売上高から、変動費（材料費や人件費など）だけを差し引いた利益のこと。
- 連結決算 (consolidated settlement)
  親会社だけでなく、国内や海外の子会社および関連会社を含めたグループ全体の決算方法のこと。

2. Exercise

29-30

2-1 上記の５つの英文が順番に聞こえてきます。各英文を聞いた後、すぐにリテンションしなさい。

2-2 上記の５つの日本文が順番に聞こえてきます。各日本文を聞いた後、すぐに英文にしなさい。

3. 日本語を参考にして英単語を並び替え、英文を完成させなさい。

(1) 私どもは約 20 分の質疑応答の時間を設けています。
[20 minutes / approximately / Q&A session / for a]
We will have ______________________________.

(2) それでは、ご質問がありましたら、お答えいたします。
[any questions / we will / answer them / be happy to / if there are]
Now, ______________________________, ______________________________.

(3) 不良債権* に関するご質問と理解しています。
[is / question / debts / in regard to / bad]
I understand that your ______________________________.

(4) 御社のレポートで説明された投資収益率* について、もう少し詳しくご説明ください。
[explained / the ROI / elaborate / in your report / on]
Can you please ______________________________?

(5) 本日の報告で触れられた配当金* について、もう少し具体的にお教えください。
[about / more specific / that you / the dividends / touched upon]
Could you be ______________________________
in today's report?

Notes

- 不良債権 (bad debt, non-performing loan)
  金融機関が、融資先企業の経営悪化などを理由に回収できなくなった、あるいは回収の可能性が困難になったものを指す。
- 投資収益率 (return on investment: ROI)
  投資額に対してどれだけ利益を生み出しているかを見る指標のこと。「投資利益率」とも呼ばれる。
- 配当金 (dividend)
  株主に分配される現金配当のこと。株主は出資比率（持ち株数）に応じて利益の還元を受ける権利（利益配当請求権）を持っている。

4. Exercise

31-32

4-1 上記の５つの英文が順番に聞こえてきます。各英文を聞いた後、すぐにリテンションしなさい。

4-2 上記の５つの日本文が順番に聞こえてきます。各日本文を聞いた後、すぐに英文にしなさい。

Unit 19 まとめ

ビジネス会議が開かれています。使用言語は英語です。アジェンダに沿ってプレゼンテーションが行われています。このユニットは「まとめ」です。

1. 日本語を参考にして、下記の単語リストより最も適切な単語を選びその記号を（　）に記入しなさい。

(1) われわれの調査の結論は、その提案を拒否することです。
The conclusion of our (①　　) is that we should (②　　) the proposal.

(2) 結論として、弊社は優先順位に従って問題を分類することを提案いたします。
In conclusion, we (③　　) that we classify problems according to (④　　).

(3) このニッチビジネスは成功する確率がかなり高いということを、結論としてお伝えします。
We will (⑤　　) by saying that this niche business has a fair (⑥　　) of success.

(4) 今日のプレゼンテーションで取り上げた信用格付* に関する課題をまとめます。
We will (⑦　　) the issues regarding (⑧　　) rating covered in today's presentation.

(5) まとめますと、当社はデジタルトランスフォーメーション* の足掛かりを築かなければなりません。
To (⑨　　) up, we must get a (⑩　　) in digital transformation.

a. conclude	b. credit	c. reject	d. foothold	e. study
f. priority	g. sum	h. chance	i. suggest	j. summarize

Notes

・信用格付 (credit rating)
金融商品または企業・政府などの信用状態に関する評価のこと。
・デジタルトランスフォーメーション (digital transformation: DX)
進化したデジタル技術を浸透させることで人々の生活をより良いものへと変革すること。

2. Exercise

33-34

2-1 上記の５つの英文が順番に聞こえてきます。各英文を聞いた後、すぐにリテンションしなさい。

2-2 上記の５つの日本文が順番に聞こえてきます。各日本文を聞いた後、すぐに英文にしなさい。

3. 日本語を参考にして英単語を並び替え、英文を完成させなさい。

(1) 損益計算書* について、これまで述べてきたことを簡単に振り返ります。
[review / the income statement / about / mentioned / what we have]
Let me quickly ________________________________.

(2) 最後に、この難題に共同で取り組むことの意義をあらためて確認いたします。
[of / this difficult / reiterate / jointly tackling / the significance]
Finally, we will ________________________________ task.

(3) 当社の結論は、関税* 規制をなんとか遵守することができるということです。
[comply with / we can / to / the tariff regulations / is that / manage]
Our conclusion ________________________________.

(4) 弊社は、この任務で積極的な役割を果たすべきであるという結論に至りました。
[the conclusion / an active role / that we must / drawn / play]
We have ________________________________ in this task.

(5) 最後に、弊社はこのプロジェクトにおける重要成功要因* を強調いたします。
[emphasize / for success / on this project / finish / the key factors]
Before we __________, we will ________________________________.

Notes

・損益計算書 (profit and loss statement, income statement, PL)
企業の収益性・成長性などの経営成績を示す決算書のこと。１年間の収益・費用・利益が記載されている。
・関税 (tariff, customs duty)
海外から商品を輸入する際にかかる税金のこと。
・重要成功要因 (key factor for success: KFS)
事業やプロジェクトなどを成功へと導くための鍵や要素のこと。

4. Exercise

35-36

4-1 上記の５つの英文が順番に聞こえてきます。各英文を聞いた後、すぐにリテンションしなさい。

4-2 上記の５つの日本文が順番に聞こえてきます。各日本文を聞いた後、すぐに英文にしなさい。

Unit 20

感謝

ビジネス会議が開かれています。使用言語は英語です。アジェンダに沿ってプレゼンテーションが行われています。このユニットは「感謝」です。

1. 日本語を参考にして、下記の単語リストより最も適切な単語を選びその記号を（　）に記入しなさい。

(1) ご出席いただき、心より感謝申し上げます。
Thank you from the (① 　　) of my heart for your (② 　　).

(2) 施設見学会を実施していただきましたことに、感謝いたします。
We want to note our appreciation for (③ 　　) the (④ 　　) tour.

(3) 監査* の実施にあたり、強力なリーダーシップを発揮したフェントン氏に特に感謝いたします。
(⑤ 　　) thanks go to Mr. Fenton for his strong leadership in (⑥ 　　) the audit.

(4) 弊社は、この環境にやさしい* 事業の実施に際してのご支援に感謝いたします。
We (⑦ 　　) your support in the (⑧ 　　) of this eco-friendly project.

(5) 環境問題に取り組んでいただき、私どもは感謝しております。
We would like to (⑨ 　　) our appreciation to you for (⑩ 　　) environmental issues.

a. appreciate	b. facility	c. attendance	d. implementation	e. bottom
f. tackling	g. conducting	h. performing	i. special	j. extend

Notes

・監査 (audit)
企業の業務執行や財務状況について、法令や社内規定の遵守、および有効性を評価・報告すること。
・環境にやさしい (eco-friendly, ecologically/environmentally friendly)
環境（土壌、水、空気）あるいは生態系に及ぼす悪影響をできる限り低減すること。

2. Exercise

37-38

2-1 上記の５つの英文が順番に聞こえてきます。各英文を聞いた後、すぐにリテンションしなさい。

2-2 上記の５つの日本文が順番に聞こえてきます。各日本文を聞いた後、すぐに英文にしなさい。

3. 日本語を参考にして英単語を並び替え、英文を完成させなさい。

(1) デジタル化* への貴社のご配慮に厚くお礼申し上げます。
[greatly / attention / appreciated / is / to digitalization]
Your ……………………………………………………………………………….

(2) 私どもは、相互の繁栄に向けた御社のご尽力に感謝いたします。
[mutual / toward / grateful for / prosperity / your efforts]
We are ……………………………………………………………………………….

(3) リスク管理* を徹底していただき、弊社を代表して感謝申し上げます。
[express / the company / management / risk / ensuring / our thanks for]
On behalf of ………………………, we wish to ………………………………………….

(4) 経営破綻を回避するための資金援助で御社に大変お世話になりました。
[avoid / indebted / for financial assistance / to you / that helped us]
We are ………………………………………………………………………………
bankruptcy.

(5) このベンチャー* についての御社のご意見に感謝いたします。
[your opinions / thankful for / this venture / reference to / with]
We are ……………………………………………………………………………….

Notes

・デジタル化 (digitalization)
デジタル技術を活用することで、業務プロセスの効率化や新たなサービスやビジネスモデルを生み出すこと。
・リスク管理 (risk management)
発生しうるリスクを洗い出し整理することで、想定される損害を最小限に抑える活動のこと。一方、「危機管理」(crisis management) は、危機が発生した際にその影響を小規模にとどめ、危機的な状況から早く回復するための活動を指す。
・ベンチャー　(venture)
新規の事業へ取り組むこと。起業したベンチャー企業が行う場合が多いが、既存の企業が行うこともある。

4. Exercise

39-40

4-1 上記の５つの英文が順番に聞こえてきます。各英文を聞いた後、すぐにリテンションしなさい。

4-2 上記の５つの日本文が順番に聞こえてきます。各日本文を聞いた後、すぐに英文にしなさい。

専門用語の索引

A Shorter Course in English for Business Meetings: Presentation
5分間 会議英語＜プレゼンテーション力の育成＞ [B-956]

1　刷　2023年1月15日

著　者　辻　和成　Kazushige Tsuji
細野　健二　Kenji Hosono
G. クリント・デニソン　G. Clint Denison
辻　勢都　Setsu Tsuji

発行者　南雲一範　Kazunori Nagumo
発行所　株式会社　南雲堂
〒162-0801　東京都新宿区山吹町361
NAN'UN-DO Co., Ltd.
361 Yamabuki-cho, Shinjuku-ku, Tokyo 162-0801, Japan
振替口座：00160-0-46863
TEL: 03-3268-2311（営業部：学校関係）
03-3268-2384（営業部：書店関係）
03-3268-2387（編集部）
FAX: 03-3269-2486

編集者　加藤　敦

表　紙　Nスタジオ

組　版　Office haru

検　印　省　略

コード　ISBN978-4-523-17956-6　C0082

Printed in Japan

E-mail　nanundo@post.email.ne.jp
URL　https://www.nanun-do.co.jp/